a bruxa não vai para a fogueira neste livro

a bruxa não vai para a fogueira neste livro

amanda lovelace

tradução
izabel aleixo

LeYa

Título original: The witch doesn't burn in this one

Revisão: Anna Beatriz Seilhe
Ilustração de capa e diagramação: Leandro Liporage
Adaptação de capa: Leandro Dittz

Dados Internacionais de Catalogação na Publicação (CIP)
Angélica llacqua CRB-8 / 7057

Lovelace, Amanda
A bruxa não vai para a fogueira neste livro / Amanda Lovelace ; tradução de Izabel Aleixo. – São Paulo : LeYa, 2018.
ISBN 978-85-441-0701-0
Título original: The witch doesn't burn in this one
1. Poesia Norte-Americana. 2. Autorrealização (Psicologia) em Mulheres - Poesia. 3. Mulheres - Poesia. 4. Feminismo. I. Título. II. Aleixo, Izabel.

18-0298 CD 811.6

Índices para catálogo sistemático:
1. Poesia Norte-Americana

LeYa é um selo editorial da empresa Casa dos Mundos.

CASA DOS MUNDOS PRODUÇÃO EDITORIAL E GAMES LTDA
R. Avanhandava, 133, cj21 - Bela Vista
01310-200 - São Paulo - SP

da

série

as mulheres têm uma espécie de magia:

a princesa salva a si mesma neste livro (#1)

a bruxa não vai para a fogueira neste livro (#2)

para a garota em chamas.
obrigada por me inspirar a
delicadamente inflamar o mundo.
você pode ter
um vestido de fogo,
mas esse mesmo fogo
corre em minhas
veias.

&

para todas as
princesas,

para todas as
donzelas,

para todas as
rainhas.

vocês já resgataram
a si mesmas

tantas e tantas
vezes agora

& eu
admiro todas

vocês.

alerta inicial

este livro
contém
material sensível
relacionado a:

abuso de crianças,
abuso cometido por um parceiro,
estupro,
distúrbios alimentares,
trauma,
morte,
assassinato,
violência,
fogo,
menstruação,
transfobia
& mais.

lembre-se de praticar
o cuidado consigo mesmo
antes, durante & depois
da leitura.

sumário

aviso I:

esta história
não é um conto de ~~fadas~~ bruxas.

não há
bruxas.

não há
caça às bruxas.

não há
os caras dos fósforos.

não há
fogueiras.

não há
uma revolução de fogo.

esta é uma história
simples

na qual as mulheres
lutam contra

a estrutura
criada pelos homens,

que permaneceu
muito mais tempo

do que devia.

aviso II:

nenhuma misericórdia
à frente.

"escreva seus medos."

foi isso que
me disseram.

então peguei
a caneta de novo

& tracei meu caminho
por essas

feridas
abertasfechadasabertas

até que o mapa de tinta
me levasse direto

àqueles que
as abriram.

depois respirei
bem fundo

& invoquei
uma tempestade

toda minha.

me conte
uma coisa
aqui entre nós:

você nunca
desejou

poder
dançar

em cima das cinzas
de todos aqueles que

sempre duvidaram
do seu valor

& debocharam
das suas palavras?

(shhh,
tudo bem,
não conto para ninguém.)

profecia I

não vou sobreviver a esse inverno. os caras
com um punhado de fósforos estão

batendobatendobatendo à porta
da minha casa. as bruxas

podem pegar fogo, mas os caras dos fósforos
não podem tirar a forma de coração

dos lábios do meu amor quando ela sussurra meu
nome na escuridão. os caras dos fósforos

não podem tirar as histórias
de mãe para filha que vão escorregar pelas línguas

raivosas das minhas descendentes pelos
séculos que virão. os caras dos fósforos

não podem tirar das mulheres erradas
a ira de ártemis, deusa da

caça(ndo aqueles que vêm para cima de mulheres
como eu com olhos cheios de raiva). posso

não sobreviver aos fósforos, mas meu
fogo de vadia vai sobreviver a todos eles.

profecia II

o que acontece
quando você
lança
seu fósforo,

mas a
a bruxa caçada pelo marido
simplesmente se recusa a
pegar fogo?

o que acontece
quando você
lança
sua pedra,

mas a
esposa acusada de adultério
simplesmente se recusa a
sangrar?

o que acontece
quando você
lança
seu punho (de novo),

mas sua
namorada que fala a verdade
simplesmente se recusa a
ficar ferida?

no correr
dos séculos
os animais evoluem para
sobreviver ao meio ambiente,

então
o que vai acontecer
quando as mulheres
finalmente

aprenderem
também
a
revidar?

(isso.)
(isso.)
(isso.)
(isso.)

& assim a história segue...

I. o julgamento

os caras que passam o dia inteiro com fósforos entre os dedos nos colocam em fila & enfiam entre nossos dentes minúsculas flores amarelas com pontos pretos da erva que obriga a dizer a verdade. um a um, eles nos perguntam se sabemos de que crime somos culpadas. depois de uma breve pausa para pensar, falamos: "a única coisa de que somos culpadas é de sermos mulheres." essa é, ao mesmo tempo, a reposta certa & errada. para os caras dos fósforos, nossa existência é a forma mais negra de magia, normalmente punida com a morte.

eles não sabem o que vem por aí. que fofos.

nós não devemos ter medo deles.

não não não.

eles é que devem ter medo de *nós.*

– a primeira lição de fogo.

nós damos poder
a tudo que
queremos,

mas também podemos
tirá-lo
novamente,

assim.
desse.
jeito.

a escolha
é inteiramente
nossa

& eles
querem
acabar conosco

antes que nós
tenhamos a chance
de acabar com eles.

– o segredo mais bem guardado.

sinto muito
mas devo confessar

que herdei
a raiva de minha mãe

& a
raiva das mães

que vieram
antes dela

& toda a
raiva das mães

que correu
pelos galhos

da nossa árvore genealógica
emaranhada.

– nada pode me extinguir.

para
todos
que disseram
que minha
bisavó
tinha,
sim,
um quê de bruxa:

ela não
se compara
a mim.

– & eu só estou começando.

o chão...
que pega fogo
onde quer que
uma mulher
encoste nele
seu pé

& se
você não tomar
cuidado,

exatamente
a mesma
coisa
pode
acontecer
com você.

– alguma destruição é bela.

esta é
uma carta de amor
há muito devida
para cada uma
& toda
mulher
que percorreu
esses campos
antes de mim
&
fez
o caminho
suave o bastante
para que eu
o atravessasse e
chegasse
ao lado
aonde eles não poderiam
nunca ir.

por isso
devo muito
a vocês.

– mas devo algumas coisas a mim mesma também.

existe
uma linha tênue

entre
ser
                              egoísta
e
ser
                              altruísta
&
na maioria dos dias

posso dizer
de que

lado
estou

&
na maioria dos dias?

eu não
ligo.

– existem algumas coisas que tenho que fazer por mim.

é isso mesmo,

sou
a mulher
com o
coração incendiário
sobre a qual
todos os seus pais
lhe advertiram

&

quando
uma árvore
pega fogo,
não demora muito
para que
toda a
floresta

esteja em chamas.

– ainda assim nunca me importo com quem se machuca.

pelos deuses, espero que eu consiga apavorar você.

fique
de olho

em
todas essas

mulheres
desgrenhadas e

silenciosamente
despreocupadas.

você sabe
que não pode

deter
um incêndio,

não sabe?

– *encrenca encrenca.*

mulheres:
nós podemos
fazer
o u r o
do
l i x o.

– um feitiço.

mulheres:
nós podemos
criar

f o g o

do

a r.

– *um feitiço II.*

algumas vezes
as mulheres sangram;

algumas vezes
não.

não
podemos ser

assim tão facilmente
divididas

em caixas
pré-fabricadas,

embrulhadas
com laços e fitas cor-de-rosa.

– *toda mulher é autêntica.*

as mulheres são
consideradas

posses
antes de sermos

consideradas
seres humanos,

& se nossas portas
& nossas janelas

forem arrombadas
por homens perversos,

então somos julgadas
sem valor...

excluídas,
desprezadas.

então nos mudamos dos
nossos bairros

& criamos lares
em cada uma de nós.

– fechamos aquelas portas & comemos aquelas chaves.

as mulheres
aprendem
a pressentir
com ~~o que~~ quem
o perigo
se parece
apenas
percebendo
o olhar de
uma mulher
do outro lado
de uma sala
lotada.

– sobrevivência.

as mulheres
transmitem
umas às outras
instruções
sobre como
saber se
nossas bebidas
estão batizadas
& sempre se oferecer
para ficar de guarda
nas portas frágeis
dos banheiros públicos
umas para as outras.

– *sobrevivência II.*

o
único momento
em que sei
o que
estar segura
significa

é
quando
estou numa
sala
transbordando
de luz

& o riso
de mulheres
preenche
todo o ambiente,
do chão ao teto,
com cheiro de lavanda

& cria
uma porta
com uma tranca
que nenhum homem
pode
jamais arrombar.

– segurança nunca foi nosso privilégio.

nós sabemos como
manter as mulheres a salvo

das
garras afiadas dos

velhos dragões de olhos apertados
e insinuadores

& quando não somos
rápidas o bastante para agir

sabemos exatamente o que
temos que fazer:

caminhar pela
fogueira crepitante

& nadar por
quilômetros de fossos

& escalar as
torres cintilantes

& fazer as feras
implorarem por nossa misericórdia.

– *predadores.*

finalmente nos recusamos
a ser vistas apenas como

corpos destinados
para o uso&consumo
dos homens,

então incendiamos
as nuvens para
fazê-los balançar,

para mostrar a eles
que podemos coexistir
maravilhosamente,

mas
eles escolheram
tomar isso como uma ameaça

& nunca
nos perdoaram
completamente

por reclamar
a porção do céu
que sempre foi nossa por direito.

– *quando aspirar ao céu é inconveniente.*

quando nossas habilidades
se tornaram muitas,

eles tentaram
nos trancar

na escuridão
sem ao menos

uma vela
para nos guiar.

mal
sabiam

que o nosso
fogo-raiva de mulher

iluminaria
nosso caminho para casa

muito bem.

– você é o seu próprio farol.

o homem com aquela expressão de matador de bruxas nos olhos bebe com vontade da xícara lilás lascada e, com as mãos tremendo, a faz tilintar no pires quando a coloca de volta. meu estômago revira quando o líquido escuro escorre pelo queixo dele, formando linhas. ansiosamente o homem empurra a xícara e o pires na minha direção pela mesa velha e pouco firme & rapidamente viro a xícara no pires para tirar o excesso de líquido. quando a desviro, vejo a borra de folhas marrom & pretas encharcadas, de vários tamanhos e formas, que fica no fundo. observo-as por um momento & imediatamente desvio o olhar, esfregando nervosamente as mãos na minha saia. não há nenhuma dúvida sobre o que isso significa.

"e então? o que está dizendo aí?", pergunta ele.

eu continuo olhando para baixo. "as folhas dizem que você vai... pagar caro."

"o-o quê?", balbucia ele, com os olhos que quase transbordam de terror.

"elas dizem que... você vai pagar caro", sussurro.

– as folhas não mentem jamais.

ser uma
mulher
é estar
pronta para a guerra,
s a b e n d o
que todas as probabilidades
estão
contra você.

– & nunca desistir apesar disso.

batom vermelho:
um sinal externo
do fogo
interno.

– nós tentamos avisar você.

batom vermelho:
grito de guerra.
grito de guerra.
grito de guerra.

– nós tentamos avisar você II.

eles riscaram isso
dos livros de história,

mas em todas
as grandes invenções

você encontrará
marcas de queimado

no formato das
mãos

magníficas
de uma mulher.

não esqueça:
precisamos ser
os livros de história
agora.

– as mulheres são bibliotecas prestes a explodir.

as mulheres
aguentam
não apenas porque
somos capazes disso;

não,

as mulheres aguentam
porque não temos
nenhuma outra
opção.

– eles nos queriam fracas e nos obrigaram a ser fortes.

eles nos
assistiriam queimar

antes que
achássemos

que podemos ser
o que somos,

antes que
achássemos

que somos capazes
de qualquer coisa

muito mais
do que eles são.

– a triste, triste verdade.

eles
vão tentar
roubar
sua luz

& usá-la como
uma arma
contra
você mesma.

mas há
uma
boa
notícia:

eles
não têm
perseverança para
controlá-la

como você tem.

"não há motivo
para ter medo",

os caras dos fósforos
nos dizem bem antes
de jogar

montes
& montes
de fósforos.

"não seja tão dramática, porra",

os caras dos fósforos
nos dizem enquanto nossa pele
cai pelo chão.

"você é sempre exagerada",

os caras dos fósforos
dizem para os reflexos
deles nas poças.

– eles só queriam que fosse assim desse jeito.

sempre coloque a si mesma em primeiro lugar.
sacrifique-se por sua própria
decisão.

– 1º mandamento das bruxas.

II. a queima

"a única coisa de que somos culpadas é de sermos mulheres", dizemos a eles,

& isso é tudo que eles ouvem.

isso é tudo o que eles precisam ouvir antes de nos atacarem. isso é tudo o que eles precisam ouvir antes de nos juntarem como gado, mulheres adultas e crianças da mesma forma. isso é tudo o que eles precisam ouvir antes de mostrarem as cordas que escondem atrás das costas. isso é tudo o que eles precisam ouvir antes de nos amarrarem no mesmo carvalho, nos forçando a dar as mãos umas às outras em busca de conforto. ("vamos d-dar a meia-volta, v-volta e meia vamos dar...")

isso é tudo o que eles precisam ouvir antes de levantar os pés e riscar os fósforos na sola das suas botas.

– a segunda lição de fogo.

para
os homens,

as mulheres
são como

botões de rosa
delicados.

até mesmo
o jeito

que eles
nos esmagam

embaixo de
seus pés zangados

os deixam
excitados.

– murchar antes de florescer.

eles
nos dizem
mais uma & mais uma
& mais uma
vez
que as mulheres
precisam
ficar

pequenas/
finas/
muito magras/
diminutas.

assim
somos
facilmente
colocadas no bolso
para ser usadas
& jogadas fora
mais
tarde.

curvas
& gordura
& pneus
são um
colossal
"foda-se"
ao
patriarcado...

nossa rebelião
inesperada.

– meu corpo rejeita seus desejos.

ela tem
tanto medo
de
ocuparespaço
que mesmo
o peso
de seus
ossos
às vezes
parece
muito.

– a garota oca.

&
ela
começa a se
perguntar
se beijos
têm
calorias
& quanto
tempo leva
para
queimá-las.

– a garota oca II.

I. água.
II. café&chá.
III. adoçante zero caloria.
IV. lanchinhos de cem calorias.
V. um corpo tão sem peso que ninguém mais
pode possuí-lo.

– a lista de compras da garota oca.

"estou gorda",
eu disse.

"não,
você está linda.

você é
maravilhosa,

esplêndida
extraordinária",

ele
respondeu.

mas
será que

você não
entende que

posso ser todas
essas coisas

ao mesmo
tempo?

pensei
mas não disse.

– palavras como punhais.

nas nossas barrigas:
fogo fogo fogo
& às vezes
quase mais
nada.

– esses são os jogos vorazes da vida real.

nas nossas mãos:
brasas brasas brasas
apenas esperando
uma oportunidade
de pegar fogo.

– pegar fogo é tão, tão fácil.

os
homens
nos fazem
dançar
para

eles
até que
nossos pés
sangrem
&
então
eles nos
dizem apenas
para trocar
nossas pantufas
de rosa
para

v
e
r
m
e
l
h
o.

– a boneca dançarina predileta deles.

quando a namorada dele
sai de cena à esquerda
todos os aldeões depravados
se reúnem & reúnem,

o *cochicharcochicharcochicar*
do mar dos homens mortos
enquanto ele recebe a tão esperada permissão
das sombras

& estica a mão
para meu cabelo preto como a água à noite,
e o torce como uma corda em volta
do seu punho que não perdoa,

meu pescoço jogado para trás
igual ao caule do lírio branco
logo antes de
suspirar & quebrar.

ele se inclina
para me beijar com sua
boca linda de motosserra,
manchada de sangue,

& na manhã seguinte,
todas as moças da aldeia
têm seu tom de sangue favorito
escorrendo da marca de batom

que leva o meu nome.

– o abuso não deve ser romantizado.

dizer que
nem todos os homens
têm
más intenções

não me
ajuda a
me sentir
segura.

depois que eu
deixar você
nada terá
mudado.

eu ainda
terei medo de
sair de casa
depois do pôr do sol,

ainda
sentirei conforto
com as chaves na mão
como uma arma,

ainda
vou questionar
as intenções
de cada homem que conhecer,

ainda
vou me perguntar
quando me
tornarei

uma história
feita para alertar
as filhas
de outras pessoas,

& ainda
vou chorar quando ligar
a televisão
e ver

mais uma vez
outro homem
se safar
de...

bem,
do que eles
sempre parecem
se safar.

eu não sou
aquela que
tem que mudar
a maneira de pensar
ou de agir.
eles é que têm.

– expectativas vs. realidade.

engulo
minha língua
por medo
tantas vezes
que
o sangue
encontrou
um
lar
permanente
nos
espaços
entre
meus
dentes.

– esse é o gosto de ser mulher.

fomos
forçadas a
passar por cima
dos fósforos
ainda incandescentes
que eles usaram
para eliminar nossas
ancestrais

&
nós
ainda
s u s s u r r a m o s
as desculpas
esperadas
quando
nossos pés

ficam chamuscados.

– um arrependimento congênito.

as primeiras palavras de uma mulher:

“me desculpe.”
“me desculpe.”
“me desculpe.”
“me desculpe.”
“me desculpe.”
“me desculpe.”
“me desculpe.”
“me desculpe.”
“me desculpe.”
“me desculpe.”

as últimas palavras de uma mulher:

"me desculpe."
"me desculpe."
"me desculpe."
"me desculpe."
"me desculpe."
"me desculpe."
"me desculpe."
"me desculpe."
"me desculpe."
"me desculpe."

eles tentam
nos convencer
de que nossos estupradores
serão apenas

estranhos
à espreita nos arbustos
na escuridão da
noite escura,

que devemos
ter
spray de pimenta
e canivetes

bem
arrumadinhos dentro
de nossas bolsas
o tempo todo

(porque
aparentemente
mesmo o ato
de tentar

não ser estuprada
deve parecer
adorável
& feminino),

então
quando
nossos estupradores
são

nossos avôs/pais/
irmãos/tios/primos/
melhores amigos/namorados/
maridos,

não temos palavras
para dizer isso
& ninguém está disposto a
nos ajudar a acender nossas tochas.

– tudo é uma distração.

o que a cultura do estupro faz:

me enche de
um alívio fugaz
quando descubro
que escapei
do meu ex-namorado
antes de ele se tornar
um estuprador

& não depois.

– o veneno se infiltrou em tudo.

nós passamos vidas inteiras
à procura de nosso caminho
por campos de trevos
escassos,

esperando, rezando,
braços, olhos
pés & pernas
fechados

que nós não sejamos
aquela 1 em 6
que terminou
de mãos vazias,

&
nós nunca somos
capazes de perdoar
a nós mesmas por ser

aquela que colhe
a esperança em tons de ametista verde
antes que as mãos de uma outra
apenas *v a r r a m* o ar delicado.

– segurança & sorte de mãos dadas uma com a outra.

eu
não me
lembro
de aceitar
ser uma
fatalidade
desses
desastres
provocados pelo homem.

– ciclone.

ninguém deve
ter que carregar
o insuportável
peso de um
colchão pesado
nas costas pela
vida inteira.

– para emma sulkowicz.

estou tendo pesadelos de novo. aquele em que o bosque retorcido ganha vida & o homem-árvore com os galhos afiados e nodosos se desenraiza do solo & vem se arrastando para cima de mim. eu reconheceria o rosto dele em qualquer lugar. é o rosto que eles desenharam pelo fluxo das minhas palavras trêmulas de 11 anos de idade. depois de todos esses anos ele finalmente se desenraiza porque homens perversos raramente são punidos por muito tempo. seu latido é seco & áspero & seus frutos expostos apodrecem por dentro & não consigo pedalar minha bicicleta amarela para longe o suficiente. as rodas ficam presas na lama grossa da primavera & de repente estou afundando & ele exala vingança & sei que nada vai detê-lo dessa vez porque homens perversos não param até punir qualquer uma que tente lhes dizer que o mundo não está ao seu dispor enquanto o vento lhes sussurra: "pegue-a, pegue-a, pegue-a."

– é com isso que as mulheres sonham.

os homens,
eles estão me
a r r a s t a n d o
para
a floresta de sombras
aonde nem mesmo
os lobos
ousam ir.

eles usam
meu corpo
como os homens
usam os corpos
das mulheres
& quando eles
finalmente terminam
comigo

cortam
                    minha língua
meus peitos
                    minhas mãos
            meus pés

& não deixam
para trás
nenhuma linha
para que eu
costure
a mim
mesma
de novo.

– é com isso que as mulheres sonham II.

I.
II.
III.
IV.
V.
VI.
VII.
VIII.
IX.
X.
XI.
XII.
XIII.
XIV.
XV.

– como evitar uma violência sexual.

I. não estupre.
II. não estupre.
III. não estupre.
IV. não estupre.
V. não estupre.
VI. não estupre.
VII. não estupre.
VIII. não estupre.
IX. não estupre.
X. não estupre.
XI. não estupre.
XII. não estupre.
XIII. não estupre.
XIV. não estupre.
XV. não estupre.

– *como evitar cometer uma violência sexual contra alguém.*

mas
e se
o demônio
é apenas
uma mulher
que foi
banida
para o inferno
para alimentar
as chamas
como
castigo
por
ter enfrentado
os homens?

– lilith.

ele
disse a ela
para não
brincar
com o seu
pobre
coração-
zinho
então ela
o poupou
indo

e m b o r a

&
foi
quando ele
roubou
todos os
sorrisos dela
& jogou-os
nas
águas
escuras&geladas
de dezembro.

– às mulheres que perderam a batalha, que descansem em paz.

alguns
pais
vão
                    q u e b r a r
os dentes
de suas
filhas
com dedos
esfolados

&

quando
o punho
do seu namorado
vier
na sua direção
ela vai
oferecer a ele
um sorriso
com o lábio aberto.

"é igualzinho lá em casa",
ela dirá.

– ela nem teve que bater os pés como dorothy.

nosso
ser mesmo

é considerado
uma inconveniência,

nossos corpos,
casas desocupadas

envoltas por camadas
de fita amarela,

nossas pernas,
portas duplas

para um homem
(& apenas um homem)

forçar a entrada para
poder nos invadir

& colocar lá seus
móveis,

sem nunca
nos perguntar

o que achamos
das cortinas.

– eles nos amam vazias, vazias, vazias.

às vezes seus demônios
serão homens

que mostram covinhas
quando dizem "obrigado"

& abrem as portas para qualquer
mulher que se aproxime

& lhe mandam
mensagens de bom-dia/boa-noite

& se lembram
do nome de solteira da sua mãe

& surpreendem você com um bom café
em todos os seus dias ruins.

& com a mesma voz
que usa para dizer

que ama você,
ele contará

como sonhou
em matá-la

de várias maneiras diferentes
noite passada

& acordou
desejando muito isso.

– é com isso que os homens sonham.

&
os homens
vão sempre sentar
(muito) perto
de você

&
alegar que eles
só querem
ser aquecidos
pelo seu
fogo

&
eles vão
sorrir enquanto
engarrafam
suas
fagulhas

&
mais tarde vão
contar a todo mundo
que sabem como
fazer uma fogueira bem grande
& terrível

completamente
sozinhos.

– as mulheres sempre nascem durante um eclipse.

eles
acham que
podem escrever
nossas histórias

porque

suas mães
os deixaram
percorrer com a ponta do dedo
a palma das mãos delas

mas

suas palavras
nitidamente
nunca exalarão
fumaça.

– você realmente acha que tem que chorar pela casa em que colocou fogo?

eu não preciso de você
para escrever minha história.

eu a escrevo
todos os dias

& você não pode
nem traduzir

a porra da
pontuação.

– ela.

pronto para uma
verdade dura?

as mulheres
não precisam
da sua validação.

nós
já temos
a nossa própria.

– meu próprio valor não deveria parecer um ato de coragem.

os homens
muito frequentemente alegam
que somos

romances de mistério
com
um simbolismo coletivo

ao mesmo tempo
muito frívolo
& muito difícil

para que eles
sequer sonhem
em nos entender,

então em vez de
perderem tempo desvendando
nossos enredos complexos,

eles escolhem
a saída mais fácil...
e jogam gasolina em nós,

lançam
fósforos sobre
seus ombros,

&
riem enquanto
vão embora.

– chamem-nos de alexandria.

seguindo
os
passos
do
tolo
ícaro,

os homens
foram
tentados
a resvalar com a ponta dos dedos
nossas chamas
impressionantes

& tiveram
a ousadia
de ficar surpresos
quando suas asas de cera
fabricadas

d
e
r
r
e
t
e
r
a
m.

– mas tente não reagir exageradamente, querido.

você não sabe que
a aflição de uma mulher
pode causar
e x p l o s õ e s
em outras
dimensões?

– se não sabe, vai descobrir.

queime todos os que tentarem queimar você.

<u>– 2º mandamento das bruxas.</u>

III. a tempestade de fogo

os fósforos acesos caemcaemcaem em cima de nós & param bruscamente bem antes que as chamas famintas lambam nossos pés. fechamos nossos olhos bem apertados, nos preparando para o fim violento. o ar espesso reverbera com "amo você" & "vamos nos encontrar outra vez", mas a única coisa que se segue é o silêncio. relutantemente nos forçamos a ficar de olhos abertos quando ouvimos os caras dos fósforos gritando enfurecidos ao fundo.

"nunca sonharíamos em deixar os caras dos fósforos nos usarem para machucar você", a fumaça murmura suavemente para nós. "shhh, não se preocupe. vamos fazê-los pagar por isso", sussurra de novo e envolve nossos corpos até que sejamos consumidas por uma barreira de proteção cinza.

usamos nossos poderes combinados para fazer os fósforos irem noutra direção.

os caras dos fósforos não são rápidos o bastante para nós.

– a terceira lição de fogo.

eles podem
nos oferecer
vestidos transpassados.

eles podem
nos presentear com
asas virgens.

eles podem
nos forçar
a usar o nome deles.

eles podem
nos trancar
em quartos pequenos.

eles podem
roubar
nossas palavras.

eles também podem
tentar tirar
nossas escolhas,

mas a única coisa
que eles não podem
nunca roubar?

essa
determinação
feroz.

– o que june me ensinou.

(homenagem a *O conto da aia*, de Margaret Atwood)

a sociedade
colocou
um espartilho
em nós,

puxou
os cadarços
& nos amarrou
bem apertado

como se
afinasse
um violino
novo,

&
até que
os cortemos
fora

&
mostremos
os
ossos

nunca
vamos descobrir
quem nós
realmente somos.

– desaprender esse ódio a si mesma habitual.

nós podemos
ser muito magras
& nós podemos
ser feliz,

mas

ser muito magras
não é a
mesma coisa
que ser feliz.

– temos que voltar para casa dessa batalha perpétua.

eu aprecio:

I. cada pneuzinho.
II. cada cicatriz.
III. cada marca de acne.
IV cada quilo ~~extra~~.
V. cada estria.
VI. cada cabelo ~~esquisito~~.
VII. cada celulitezinha.
VIII. o único corpo que eu tenho.

– coisas que ainda luto para dizer & tudo bem.

se
você não pode
adubar suas próprias
raízes,

não
corte
fora
sua árvore

para
punir
o
chão.

não...
respire,
dê um passo atrás
& abra para si mesma

o
espaço
necessário
para florescer.

– do livro de feitiço das bruxas verdes.

não há
problema
algum

em
acordar
com um
impulso irresistível
de cobrir
todos os espelhos.

o amor-próprio
não é
uma evolução
instantânea
nem
do dia para a noite,

mas
ao menos tente
abrir
as janelas
para deixar a brisa entrar
às vezes, de vez em quando.

– uma bruxa sabe que os espelhos às vezes mentem.

sorva
o elixir
lustroso
das minhas
mãos
em concha.

vá em frente,
pegue o
tanto
ou o pouco
que
precisar.

deixe-o
guiá-la
a um
esplêndido
caso de amor
consigo mesma

até que
esse amor
se torne sua
segunda natureza
e você não precise
mais dele.

aí,
beberemos juntas.
tim-tim.

– uma poção de amor-próprio.

você tem que comer. você tem que comer.

você tem que comer. você tem que comer.

(homenagem a *Garotas de vidro*, de Laurie Halse Anderson)

comer.
encha a si mesma
de energia,
de luz do sol.
trate o seu corpo
com ternura &
lavanda.

– precisamos de você aqui & inteira.

eu
vou ser
aquela voz
que diz a você
para cobrir seus braços
com pétalas de flores
em vez de.

– seu inverno vai chegar ao fim.

prato:

mulher

ingredientes:

I. açúcar
II. malevolência
III. tudo que não é muito legal

modo de fazer:

I. pré-aqueça o caldeirão a 200 graus.
II. misture os ingredientes num recipiente de médio para grande.
III. adicione mais malevolência se necessário. (& ah, será necessário.)
IV. deixe ferver de 10 a 12 minutos.
V. coma. repita as duas&três&quatro vezes que sempre lhe negaram. lamba os dedos depois.

– do livro de receitas das bruxas.

"eu não
uso maquiagem para os outros
da mesma maneira
que não

decoro
minha casa para os outros.
aqui é o meu
lar

&
tudo que faço
é para
mim."

– *tweet de 28 de setembro de 2016.*

o que
quero dizer
com isso
é

perdi
tantos
e tantos
anos

da
minha vida
estando
muito

exausta/cansada de fome/
deprimida/triste demais
para sair
da cama...

sem ter
escolha
a não ser ficar olhando fixo
para as paredes

onde rasguei
todo o papel
de parede com flores
empoeirado

em
tiras finas
com unhas
quebradas...

para
deixar você acreditar
que eu apenas me levei
a

obsessões/ casca de ferida/
números/ hematomas
para poder
pintar um

pequeno mural na porta
do jardim
para você & para você
apenas.

– não tenho vergonha de dizer que sou minha primeira prioridade.

realizar
os
desejos dele
não
é
o
objetivo
desta
vida.

– há muito mais esperando por nós.

não
importa
o que eles
dizem a você,
não
é
sua obrigação
ser
educada
com ninguém
que
não é
educado
com você
primeiro.

– levante-se, você não é o capacho de ninguém.

tu és

o ás da sorte
do baralho,

uma flecha
ardente

penetrando
pelo pseudo

oco que
eles odeiam.

tu. és.

– aceitar(ás).

pinte
suas unhas
de preto,

coloque glitter
no seu
rosto,

faça
muitas
selfies,

cumprimente
todas as suas
irmãs

(não,
não apenas
as suas *cis-ters*)

& lance um feitiço
em todo
homem

que
assobiar
para você.

– uma mensagem minha rabiscada no seu espelho.

"meu corpo
é uma cidade histórica
& sou a única
com permissão para
incendiar
as construções."

– reivindique a si mesma.

"vadia", cospe ele.

"bruxa", zomba ele.

& eu respondo:
"na verdade, sou as duas."

– *reivindique tudo.*

não,
mulheres
não são
vasos a
serem
enchidos
com seus
desejos.

mulheres:
únicas,
originais,
criativas,
adoráveis,
humanas.

então não é
nunca possível
copiar nem
colar
aqui.

– nada de personagem coadjuvante meio doidinha.

eu não sou
uma recordação
que você pode enfiar na
estante
entre
o bukowski
& o thoreau.

eu não sou
uma margarida seca
que você pode guardar
numa caixinha
& deixá-la bem
acima da sua
cabeça que dorme.

eu não sou
seu troféu
de participação
da gentileza
nem nada
que você possua
orgulhosamente.

às vezes
a amizade é a
porra do
prêmio,
então agradeça
por eu deixar você entrar
pelo menos.

– A FRIENDZONE NÃO EXISTE.

roteiro
para quando
ele
diz que
você é
bonita:

"eu sei."

– confiança não é egocentrismo.

roteiro
para quando
ele diz
para você
sorrir:

"vá se ferrar."

– confiança é saudável.

quando ele disser
que você não seria nada
sem ele,

vou lhe dar
todos os recursos
necessários.

primeiro,
despeje carvão
pela sua garganta.

depois,
persiga-o com
seu fósforo aceso.

então você pode
se sentir segura quando
disser a ele

que o limpou
de si mesma, do seu corpo
& alma,

& será que você
consegue ver
isso?

você está muito bem
sem
ele.

– o corpo se regenera sempre que você quiser.

eles não querem
que sejamos

maria-vai-com-as-outras
mas

eles não querem
que sejamos

antipáticas
tampouco.

isso coloca
a questão:

será que eles querem
que existamos

fora das suas fantasias
de altas horas?

– não sou sua boneca de papel, nem sua boneca inflável.

seja a
mulher
protagonista
antipática

(*sinônimos:*
vadia,
realista,
igual a um desses heróis típicos)

da qual todos os
homens
amam
reclamar.

– é muito mais divertido desse jeito, não é?

nesse romance
a mulher protagonista

afirma que ela não é
como as outras

não porque ache
que a feminilidade delas

é um insulto ou
uma fraqueza, não...

é
porque

ela sabe
que todas as mulheres têm

sua magia própria
e única

que não pode ser
replicada por ela

ou nenhuma outra
mulher.

– a reviravolta do enredo que todas estávamos esperando.

não
há
apenas
um
corpo
de mulher.

nós somos
simplesmente
mulheres
que por acaso
têm
corpos...

abrigos
construídos para
proteger nossa
raiva-fogo de mulher
dos
furacões.

– toda mulher é autêntica II.

ser mulher
não tem que
significar
essa competição
torta.

vamos
cultivar
a ideia de ser mulher
até que ela cresça
e se torne irmandade.

espalharemos
sementes de lavanda
sobre nossas
velhas feridas
até que fiquemos finalmente

c u r a d a s.

– suas irmãs não são suas inimigas.

temos que ajudar umas
às outras a nos levantar acima
das chamas.

– mulheres apoiando mulheres.

definitivamente,
deixe seus julgamentos
morrerem na fogueira.

– mulheres apoiando mulheres II.

repita
comigo
agora:

"eu sou uma mulher
eu sou um ser humano
& eu sou importante
sem nenhuma outra
condição exigida.

você pode não
ver o meu valor,
mas eu vejo.
eu vejo."

– queridas mulheres.

repita
comigo
agora:

"as mulheres
não me
devem
nada.

absolutamente nada.

mas
nada
mesmo."

– queridos homens.

"meninos serão meninos"

até o dia em que
educarmos nossos filhos

a praticarem
exatamente a mesma

responsabilidade,
obrigação

&
maturidade

que exigimos das nossas
filhas

antes de escolher
seus nomes.

– nós não ensinamos, eles não aprendem.

(não) sinto muito
em desapontar
você,

mas seu
sorriso sedutor

não vai mais
desculpar

o mal que você
inflige.

tente
não se
vangloriar
a si mesmo
achando
que pode
me
                    q u e b r a r
quando
eu sou a
heroína
que sempre
teve que
salvar
todos os seus
super-heróis
favoritos
de criança.

– diana & eu nos tratamos pelo primeiro nome.

me chame de
vadia.

me chame de
vilã.

me chame de
lobismulher.

me chame de
mau augúrio.

me chame de
seu pior pesadelo

sorrindo
com lábios vermelhos.

– melhor ainda, me chame pelo meu nome.

não vim aqui
para ser civilizada.

não vim aqui
para me sentar com você

com uma xícara de chá
& um muffin de mirtilo

para dividir enquanto
tento convencê-lo

a respeitar que
minha existência é essencial.

você teve muitas
chances

mas não estava
nem um pouco a fim toda vez,

então venho aqui
para assistir à sua raiva crescer

até que você finalmente
e n t r e e m c o m b u s t ã o.

– vou usar o clarão para ler.

esqueça-se
de ser como uma moça

(seja lá o que
isso
signifique)

& permita
a si mesma

mostrar
ao mundo
apenas como

com muita raiva
sem nenhum arrependimento

essa
desigualdade
deixa você.

deixe tudo isso

i r.

– lance chamas como uma mulher.

mulheres,
eu imploro:
ateiem fogo.

apenas finjam
que estão ajudando
os homens
a sobreviver até a primavera
como fomos
criadas para fazer.

deixem que eles fiquem
bem & relaxados

até que
seus pulmões
tenham mais
fumaça
do que
ar

&
eles não tenham
como gritar
por
socorro.

queridos caras dos fósforos,

vocês conhecem
todas aquelas mulheres diabólicas

que vocês executaram entre
1692 & 1693?

bem, elas asseguraram
que nós herdássemos seus poderes

injetando centelhas
direto em
nossas veias

& colocando chamas
na ponta dos
nossos dedos

& incrustando
palavras na ponta das
nossas línguas:

"entre em erupção."

– o único desejo de katniss.

você
gentil
(vírgula)
forte
(vírgula)
resiliente
(vírgula)
criatura
mortal
(vírgula)
você
(ponto)

– você é uma força incontrolável.

estou
bem certa de que
você tem
                    f e i t i ç o s
correndo
por
suas
                    v e i a s.

– as mulheres têm uma espécie de magia II.

toda vez
que você "faz piada" com seus outros
amigos estupradores
de mãos vermelhas

que não
é estupro se
vocês avisam a elas
antes...

toda vez que
você pressiona
sua mão
cheia de calos

sobre a boca
"não por favor não",
de batom cor de limonada rosa
dela...

toda vez que
você pensa em colocar
alguma coisa sem gosto & que provoca sono
na bebida dela...

aviste-nos
nos céus
voando à noite
e aterrissando atrás de você sem fazer barulho.

nós vamos
esperar
(im)pacientemente, com espadas
enfiadas nas mangas dos nossos vestidos

&
ferrões manchados de sangue
enfiados nas
nossas botas.

(ah, vão,
cabeças vão
cair. cair. caindo.
& *r o l a n d o.*)

os cavaleiros
da távola redonda
se ajoelham por
nós.

arthur,
escancare seu
peito
& morra de ciúmes.

brienne,
aqui está nosso cartão de visitas.
vamos esperar
sua ligação.

– *a gangue de mulheres bruxas.*

misoginia
(do gr. μισογυνία, *misogynía*)
subst. fem.

1. desprezo, aversão pelas mulheres.
2. apenas a maneira como as coisas são.

misandria
(do gr. μισανδρία, *misandría*)
subst. fem.

1. ódio pelos homens, uma reação de autopreservação.
2. de algum modo, isso está indo longe demais.

na minha
versão
da história
do conto de fadas,

todo
colchão
espontaneamente
se incendeia

toda vez
que nossos "nãos",
toda vez que
nossos silêncios

são tratados
com a
resistência
ensinadas pelos pais

de
mãos
sobre nossas bocas
& em volta do pescoço

&
braços
que são
gaiolas de aço.

o
mesmo fogo
que nos alimenta,
que nos nutre

nunca
barganha
com a
culpa

& nós
sempre
iremos embora
sem nos queimar.

– essa é a conta.

de acordo
com o jornal,
a mulher encontrou
o marido

tocando
a filha deles
com suas
mãos de gelo,

então
enquanto ele dormia,
tão seguro
& tão profundamente

quanto
a filha deles
nunca mais
dormiria,

a mulher
pensou na arma
escondida debaixo
da cama,

mas decidiu
que as balas eram
um castigo
muito, muito

suave
pelo que
ele
tinha feito.

em vez disso,
ela pegou sua tocha
& lhe deu um grande
beijo de boa-noite.

"é a
noite perfeita
para uma fogueira",
observou ela

para si mesma
enquanto se sentava
& bebericava seu
vinho.

– essas são as novas condenações à fogueira.

primeiro,

desmembrei você
como uma menina de cinco anos sozinha

com sua primeira boneca de plástico,
fascinada pela maneira com que

somos todos tão facilmente
desmontados,

mas não tão facilmente
montados de volta.

depois,

espalhei seus membros por
sobre toda a mesa da cozinha,

sempre com cuidado para não
manchar a madeira perfeitamente polida.

dentro da minha cabeça,
eu sabia que estaria tudo bem se isso acontecesse.

sangro doze semanas num ano,
então sei uma ou duas coisas sobre manchas de sangue.

(seus membros mutilados e embaralhados
eram frios ao toque mais dos que as palavras geladas

que você despejou sobre mim
naquela última noite.)

finalmente,

enterrei algumas das suas partes
no jardim onde apenas coisas verdes crescem;

enterrei algumas das suas partes
nas paredes com teias de aranha

do ático abandonado;
queimei algumas das suas partes...

e a fumaça amaldiçoa
o céu iluminado de prata...

antes de espalhar suas cinzas
no mar nauseante.

(não me considero
uma mulher rancorosa, rançosa, ranzinza,

mas se eu nunca mais for inteira outra vez,
então você também não vai.)

– foi assim que me livrei de você.

ela
desejou que

ele queimasse
& ah, como esse

filho da mãe
queimou

&

ah, como
era deliciosa a

nova vida que
ela criou dos

ossos
enegrecidos dele.

– nunca mais desamparada.

(homenagem ao musical *Hamilton*, de Lyn-Manuel Miranda)

aproximem-se, aproximem-se.

vocês estão confortáveis?

ótimo. porque esse poema vai para todos os caras dos fósforos que erroneamente me consideraram uma garota bobinha, indigna de sua verdade, indigna do seu amor & indigna do seu respeito. saibam que toda vez que vocês acordarem sobressaltados, caindo, fui eu que empurrei vocês dos seus sonhos das 3 da manhã. & saibam que toda vez que vocês sentirem aquele arrepio subindo e descendo pela sua coluna num dia quente de verão, sou eu dançando sobre o túmulo de vocês. & saibam que toda vez que vocês perceberem uma sombra ao seu lado, sou apenas eu, me certificando de que vocês nunca mais vão machucar outra mulher de novo.

é uma vergonha que vocês tenham que finalmente aprender que existem consequências por tratar as mulheres como se elas não fossem *n a d a* .

vocês podem ter ido embora, mas um pedaço de mim os seguirá para sempre.

ora, isso não é romântico?

– vingança é o novo seguindo em frente.

talvez
eu não seja a
"ex-namorada maluca"

talvez
eu seja apenas uma pessoa
reagindo racionalmente

ao fato de as mulheres
serem abusadas
& desprezadas

que
a sociedade
de alguma maneira

nos convenceu
ser algo completamente
normal.

– me recuso a continuar fingindo.

você ainda me odeia?
você ainda me odeia?
você ainda me odeia?
você ainda me odeia?
você ainda me odeia?
você ainda me odeia?
você ainda me odeia?
você ainda me odeia?
você ainda me odeia?
você ainda me odeia?
você ainda me odeia?
você ainda me odeia?
você ainda me odeia?
você ainda me odeia?
você ainda me odeia?
você ainda me odeia?
você ainda me odeia?
você ainda me odeia?
você ainda me odeia?
você ainda me odeia?
você ainda me odeia?
você ainda me odeia?
você ainda me odeia?
você ainda me odeia?
você ainda me odeia?
você ainda me odeia?
você ainda me odeia?
você ainda me odeia?
você ainda me odeia?
você ainda me odeia?
você ainda me odeia?
você ainda me odeia?

se
até
a ideia
de ficar de pé
por mim mesma
assusta você
então
dane-
-se
acho que
o poder
que você pensava
que tinha
sobre mim
não era tão
grande assim
em
primeiro lugar.

– masculinidade frágil.

mas
estou divagando.

o que tenho
tentado dizer

esse tempo todo
é que

quando você
errou comigo

estava
esperando que eu

o perdoasse
como uma

boa e bem-educada
mulher,

mas na verdade
você finalmente

ficou conhecendo
o gosto que o fogo tem.

– & não, não tem gosto de uísque.

não peça desculpas; não aceite desculpas.

– 3º mandamento das bruxas.

IV. as cinzas

eis a história inteira como ela me foi contada. as bruxas tomaram o fogo que deveria erradicá-las & o usaram contra os seus assassinos. você acredita que eles nunca imaginaram que elas fossem escapar dessa? eu sei, eu sei. agora lhe dou um punhado de centelhas, minha audaciosa. tenha para com eles a mesma misericórdia que eles tiveram para com as nossas ancestrais no passado. (nenhuma, nenhuma, nenhuma.) deixem-nos escrever a história delas nas cinzas dos seus inimigos & então nós vamos finalmente terminar o que elas começaram.

pelo que mais não seja, vamos nos certificar de que eles nunca mais terão a oportunidade de nos silenciar de novo.

não tenha medo. mesmo que você não acredite em si mesma, eu acredito. eu sempre acreditei em você.

você sabe o que fazer.

– a última lição de fogo.

eles
disseram
a poesia
está morta,
então
as mulheres
cansadas
mas
sempre determinadas
tomaram isso
como um
desafio
&
se uniram
para dar à luz
seu encantamento
de ressurreição.

– *necromantes.*

eu sou uma poeta
& porra,
eu sei
disso.

sente-se
&
preste
atenção

enquanto
pego
seu
nome

& o arrasto
para
as
chamas

que você
acendeu
pensando
em me destruir.

– não vou repetir novamente.

tenho que alertar você, meu amor. os homens vão tentar convencê-la de que roubamos a poesia deles. eles vão acender aqueles fósforos curtos & tentar jogá-los em nós mais uma vez, mas vão perder & não serão felizes. ah, não mesmo. nem. um. pouco. "devolvam-na!", eles nos gritam até que suas gargantas comecem a sangrar. eles querem dizer devolvê-la para os homens mortos que pensavam que iam levar a poesia com eles para o túmulo, os mesmos homens mortos que foram tão ingênuos de pensar que as palavras não iriam escorregar das suas mãos firmes depois que a pele tivesse se decomposto e seus ossos começassem a aparecer. a ironia? foram os nossos homens que nos pediram para sair e cuidar dos girassóis, nunca, nem uma vez, sonhando com a possibilidade de que iríamos passear pelo cemitério.

– achado não é roubado.

abra
a pele
em volta das
minhas bordas

&
você vai achar
os ossos
roubados do túmulo

de todas
as mulheres poetas
enganadas pelos
homens.

elas
não ousariam
nunca se
satisfazer em morrer.

elas
continuam a escrever
pela minha
mão

& a ira
de uma mulher
não é nada
senão imortal.

– escrevendo com nenhuma luz.

eu sei
sobre
aquela voz
dentro
de você.

sim,
eu sei
tudo sobre
a
mulher

que
tem
gritado
a vida
inteira

pela
chance
de ser
ouvida
por alguém.

pegue
essa caneta
de mim
& liberte-

-a.

– você deve isso a si mesma.

você
acha
que seu corpo é,
em sua maior parte,
composto de
água,

mas
na verdade
seu corpo é,
em sua maior parte,
composto de
poesia.

aonde quer que vá
você deixa para trás
poças de
palavras
no seu
despertar.

junte os
pedaços
de si mesma
&
chame as
palavras de volta.

você merece
ser inteira de novo.

– o sinal pelo qual você estava esperando II.

nós precisamos
das suas palavras.

nós precisamos
das suas experiências,

nós precisamos
dos seus traumas

nós precisamos
da sua raiva,

nós precisamos
da sua culpa,

nós precisamos
das suas paixões,

nós precisamos
da história

que você acha que ninguém
vai querer ouvir.

nós precisamos dessa
raiva-fogo de mulher

que só você
pode prover, então

escreva.
escreva.
escreva.

– o sinal pelo qual você estava esperando III.

escreva o poema.
(escreva a dor)
queime o poema.
(queime a dor)

– sopre as cinzas nos olhos deles.

a poesia
será
o que
nos
levará
a essa
revolução

&

a poesia
será
o que
nos
trará
cuidadosamente
de volta.

– a resistência é uma arte.

silêncio → ilêncio → iolência →
violência

protesto → proteste → poete →
poético → poeta
poesia

duas mãos
em concha ao redor
da terra,
aberta
ao meio,
& vertendo seu
conteúdo
num
buraco negro.

nenhuma luz...
apenas a
escuridão
sufocante,
sem som
e sem
saída.

essa
é a
única maneira
que conheço para
descrever

~~a agonia~~.

– ~~20/1/17~~

quando você
decide
sozinho
politizar
corpos humanos
&
o
direito de
continuar respirando
sem pagar
um preço exorbitante
depois,
não finja
ficar chocado
quando começarmos
a tomar a política
como algo pessoal.

– como você mesmo nos diz, "agora aguente".

21 de janeiro de 2017.
lembrem-se dessa data.

foi o dia em que mais
de 3,3 milhões de mulheres

pegaram o fogo
que lambeu

suas peles duras&macias
por séculos

& lançaram toneladas dele
na velha casa

construída com feixes de
palitos de fósforos brancos.

– a marcha das mulheres.

em resposta,
os caras dos fósforos

trancaram todas as janelas
& todas as portas

para nos silenciar, o que apenas fez com
que gritássemos mais alto.

ah, como o céu desabou&desabou
por dias depois disso...

alguns acreditam que eram
as lágrimas das nossas ancestrais

que tiveram que assistir mas não puderam
impedir que isso acontecesse.

– a marcha das mulheres II.

&
quando isso
tudo estiver acabado,
nós nos
reuniremos
& levantaremos
nossos rostos –
os olhos fechados –
na direção
do céu.

um grito/um pleito/
um obrigada
às mulheres
que lutaram para
manter nosso fogo
vivo
mas foram
empurradas
no fosso
em vez disso.

obrigada
por acreditarem
que podemos
ser mais do que
cinzas desbotadas.

– para hillary.

lutar incansavelmente
pelas suas irmãs

& não se esquecer
de oferecer a mão para

todos os empurrados tão para fora
das margens

do papel
que estão b
a
l
a
n
ç
a
n
d
o

na
beirinha.

– tem bastante espaço para todos nós.

o fogo
foi
criado
para
pôr
muros
abaixo.

– ele tentará nos dividir.

muros
devem
ser levantados
apenas
para manter
tiranos
inflamados
do lado de fora.

– & vamos garantir que ele fracasse.

uma
coroa pesada
pintada de spray dourado
contudo se quebrará
quando levar
uma
dura
q
u
e
d
a,

q
u
e
d
a,

q
u
e
d
a.

– o rei tortuoso.

não há nada
para eles governarem
se nós

virarmos esse reino
de cabeça
para baixo.

– demolição.

foda-se
a ideia de
ficar calma.

não existe
essa coisa de um
levante gentil.

não existem
"por favor"
nem "obrigadas"

nem
justiça
sem gritos.

– a paciência é uma virtude que não podemos nos permitir.

as
mulheres
bem gordas,
as mulheres velhas,
as mulheres pobres,
e as mulheres trans,
as mulheres sapatas,
as mulheres judaicas,
e as mulheres negras,
e as mulheres do islã,
as mulheres inválidas,
as mulheres indígenas,
as mulheres doentes mentais,
as mulheres doentes crônicas,
as mulheres neurodivergentes,
& todas as pessoas
às margens
desta página.

juntas & somente juntas
iremos finalmente

SURGIR. SURGIR.
SURGIR. SURGIR.
SURGIR. SURGIR.
SURGIR. SURGIR.
SURGIR. SURGIR.
SURGIR. SURGIR.
SURGIR. SURGIR.
SURGIR. SURGIR.
SURGIR. SURGIR.
SURGIR.

– nenhuma de nós será deixada nos cantos escuros e empoeirados.

aponte
suas mãos dourado-avermelhadas
para os
domínios do rei.

derreta-os.
          derreta-os.
                    derreta-os.

ressuscite
os domínios da rainha
no lugar
deles...

um santuário
protegido onde
finalmente
sejamos iguais.

não
ouse
esperar por
permissão.

ela nunca
nos levou
a lugar algum,
levou?

– eles tiveram a vez deles.

eis
o que é complicado
em relação ao fogo:

ele permanece suave
mesmo quando
destrói

tudo
em seu
caminho,

mas
depende
de você

assegurar
que
ele

não
queime o
bom

junto com
o podre.

– não podemos perder a empatia.

no
esconderijo escuro do
castelo
das rainhas-bruxas

celebramos
uma guerra vencida.

sucos de laranja com sangue
escorrem pelos
nossos
queixos&pescoços,

e línguas gulosas
os provam.

morangos
mancham
nossos dedos
até as juntas

e bocas que gemem
os limpam.

framboesas
ficam presas
em nossas
tranças,

e dentes que doem
as colhem.

&

frutas híbridas meio mordidas
caem nos
nossos colos,

e mãos de primeira viagem
as buscam.

– ela amou o banquete.

(homenagem ao poema "O mercado dos duendes", de Christina Rossetti)

não deixe ninguém
fazer você acreditar

que não é legal
sentir raiva

quando você é maltratada
vezes & vezes seguidas,

mas o que acontece
na manhã seguinte

quando você vai até
a janela

e deixa o sol
aquecer seu rosto

& vislumbra
a maneira como os raios

iluminam o mundo
que você pretende consertar

mas deixa
em destroços

em vez disso?

– temos que ser melhores que eles.

quando
finalmente
essa guerra acabar,

siga-me
de volta
para

o
silêncio do
dia,

&
com suas
mãos cansadas

em concha
junte um monte de
cascalhos,

lamente enquanto
eles escorrem por
entre seus dedos,

& então
continue andando.
há muito trabalho a ser feito.

– reconstrução.

rainhas
não precisam
fazer reverências diante
de ninguém.

rainhas
não precisam
de beijos delicados nas
costas de suas mãos.

rainhas
não precisam
se desculpar antes
de fazer exigências.

rainhas
não precisam
pedir a aprovação
de ninguém.

&
neste castelo
feito do
fogo das bruxas
somos todas
umas rainhas
filhas da puta.

– & elas beberam vinho & riram para todo o sempre.

como
rainha,

você tem
duas escolhas:

pode
ser malévola

& assegurar
nosso fim,

ou

pode ser
benevolente

& amar
este mundo

e fazê-lo voltar
à vida.

– um novo capítulo à espera, rainhas-bruxas.

você não
sabe
que pode
haver

estantes
e mais
estantes
e mais
estantes
de livros

escritos
sobre
sua
força?

– como sempre, as mulheres salvam a si mesmas neste livro.

saiba que essa raiva tem limites
& aja adequadamente.

– 4º mandamento das bruxas.

& o silêncio.

hoje
você é
o fogo

& amanhã
você será
o mar

& eles não
terão escolha
a não ser ouvir seu canto de sereia.

– amanda lovelace

até
a próxima:
brilhe intensamente
para que os homens pensem
que você os guia para
uma outra vida.

– você é invencível.

até
a próxima:
brilhe intensamente
para que os homens pensem
que você os guia para
uma outra vida.

– você é invencível.

agradecimentos especiais

I. *cyrus parker* – obrigada por você ter tido paciência comigo enquanto o processo de escrita deste livro me dilacerou por meses. nunca serei capaz de expressar completamente minha gratidão por tudo que você fez por mim todos esses anos. você é verdadeiramente a melhor metade de mim, meu marido-poeta. <3

II. *christine day* – bambi, minha melhor amiga, a líder da torcida para que eu escreva & minha alma gêmea companheira... agradeço a você eternamente por ter lido cada um & todos os rascunhos desta coletânea & por ter me convencido que esta história valia a pena ser contada, mesmo quando era a mais lamacenta das lamas. eu não seria escritora sem você.

III. *minha família* – minhas irmãs, meu pai, minha madrasta & todo o resto. eu estava apavorada de que vocês não apoiassem meu primeiro livro de poemas por causa dos muitos demônios que exorcizei na frente de todo mundo. estou tão aliviada de vocês terem provado que meus medos irracionais estavam errados. foi por causa do orgulho sem fim que vocês têm pelas minhas realizações que me senti confiante o suficiente para continuar minha jornada de escritora.

IV. *aaron kent* – obrigada por escrever o incentivo que inspirou "profecia I", que, por sua vez, inspirou este livro. (esse poema foi originalmente escrito para o site do projeto de poesia do aaron, "entrevistas poéticas" [poeticinterviews.wordpress.com], onde apareceu pela primeira vez. foi incluído neste livro mediante autorização.

V. *meus primeiros leitores* – mira, danika, shauna, megan, liv, mason, summer & trista. eu não teria me sentido à vontade de mostrar este livro ao mundo se ele não tivesse passado pelas suas mãos primeiro. obrigada, obrigada e obrigada por cuidarem da minha bruxinha infantil e impetuosa.

VI. *minhas colegas poetas* – alicia cook, k.y. robinson, gretchen gomez, sophia elaine hanson, jennae cecelia, kat savage, j.r. rouge, lang leav & todas que estão sempre na minha cabeça. obrigada por me darem boas-vindas tão calorosas a essa linda comunidade de mulheres poetas. o constante derramar de apoio que vocês oferecem foi essencial para a realização deste livro.

VII. *patty rice* – você é a melhor editora que uma mulher pode almejar. de algum modo você conseguiu mudar minha vida com um único e-mail. obrigada pelo amor que mostrou por minhas palavras & tudo o que fez para realizar meus sonhos.

VIII. *a meus leitores* – este livro é para vocês. eu não o escrevi, nós o escrevemos. mal posso esperar para ver a arte que vocês vão colocar no mundo. nunca parem de criar. precisamos disso mais do que nunca.

escreva seu nome aqui:

____

sobre a autora

como cresceu devoradora de palavras & amante ávida de contos de fada, era natural que amanda lovelace começasse, em algum momento, a escrever seus próprios livros, & foi isso que ela fez. quando não está lendo ou escrevendo, ela pode ser encontrada esperando por um café com especiarias para aquecê-la & assistindo a episódios de *gilmore girls* um atrás do outro. (antes que você pergunte: torcendo sempre para jess.) poeta e contadora de histórias a vida inteira, amanda mora atualmente em nova jersey com seu marido, o gato-coelho deles & uma coleção de livros, dela e dele, tão grande que já, já vai precisar de uma casa só para eles. ela tem B.A. em literatura de língua inglesa com especialidade em sociologia. seu primeiro livro, *a princesa salva a si mesma neste livro*, venceu o prêmio goodreads choice de melhor livro de poesia de 2016. esta é a sua segunda coletânea de poemas.

ESTE LIVRO FOI COMPOSTO EM PALATINO,
CORPO 12PT, PARA A EDITORA LEYA.